中国绘画名品 81

陈淳绘画名品

上海书画出版社

《中国绘画名品》编委会

本册撰文

王聪荟

本册图文审定

田松青

前言

中华文化绵延数千年，早已成为整个人类文明的重要组成部分。绘画是其中重要一支，更因其有着独特的表现系统而辉煌于世界艺术之林。在经历了人类早期的童蒙时代之后，中国绘画便沿着自己的基因，开始了自身的发育成长。她找到了自己最佳的表现手段（笔墨丹青）和形式载体（缣帛绢纸），深深植根于博大精深的中华思想文化土壤，在激流勇进的中华文明进程中，不可遏制地伸展自己的躯干，绽放着自己的花蕊，历经迹简意淡、细密精致、焕然求备等各个发展时期，结出了累累硕果。其间名家无数，大师辈出，人物、山水、花鸟形成中国画特有的类别，在各个历史阶段各臻其美，竞相争艳，最终为世人创造了无数穷极造化、万象必尽的艺术珍品。

中国绘画之所以能矫然特出，与其自有的一套技术语言、审美系统和艺术观念密不可分。水墨、重彩、浅绛、工笔、写意、白描等样式，为中国绘画呈现出奇幻多姿、备极生动的大千世界；创制意境、形神兼备、气韵生动的品赏标尺，则为中国绘画提供了一套自然旷达和崇尚体悟的审美参照；迁想妙得、穷理尽性、澄怀味象、融化物我诸艺术观念，则是儒释道思想融合在画中的精神所托。而笔墨则成为中国绘画状物、传情、通神的核心表征，成为有意味的形式，集中体现了中国人对自然、社会及与之相关联的政治、哲学、宗教、道德、文艺等方面的认识。由于士大夫很早参与绘事及其评品鉴藏，使得中国画在其『青春期』即具有了与中国文化相辅相成的成熟的理论思想，文人对绘画品格的要求和创作怡情畅神之标榜，都对后人产生了重要影响，进而导致了『文人画』的出现。

因此，中国绘画其自身不仅具有高超的艺术价值，同时也蕴含着深厚的思想内涵和丰富的历史文化信息。由此，其历经坎坷遗存至今的作品，显得愈加珍贵，理应在创造当今新文化的过程中得到珍视和借鉴。上海书画出版社曾费时五年出齐了《中国碑帖名品》丛帖百种，获得读者极大欢迎。为了让读者完整观照同体渊源的中国书画艺术，我们决心以相同规模，出版《中国绘画名品》，以呈现中国绘画（主要是魏晋以降卷轴画）的辉煌成就。我们将以历代名家名作为对象，在汇聚本社资源和经验基础上，以艺术史的研究视野，引入多学科成果，以全新的方式赏读名作，解析技法，探寻历史文化信息，体悟画家创作情怀，追踪画作命运，引领读者由宏观探向微观，进入到这些名作的生命历程中。

我们将充分利用现代电脑编辑和印刷技术，发挥纸质图书自如展读欣赏的优势，对照原作精心校核色彩，力求印品几同真迹；同时以首尾完整、高清图像、局部放大、细节展示等方式，全信息展现画作的神采。希望我们的尝试，有益于读者临摹与欣赏，更容易地获得学习的门径。

千载寂寥，披图可见。有学者认为，中华民族更善于纵情直观的形象思维，历代文学艺术，尤其是绘画，似乎用其瑰丽的成就证明了这一点。我们希望通过精心的编撰、系统的出版工作，能为继承和弘扬祖国的绘画艺术，起到绵薄的推进作用，以无愧祖宗留给我们的伟大遗产。

王立翔

二〇一七年七月盛夏

导言

宋代以来，花鸟画在文人画作中逐渐向写意的方向演化。至明代吴门画派出现，写意花鸟已渐具规模，形成了以沈周、文徵明为代表的兴盛的局面，花鸟画成为文人画中仅次于山水画的主要表现形态。明代中后期，以『青藤白阳』并称的陈淳和徐渭出现，写意花鸟画又进入了一个崭新的历史阶段。

吴门的花鸟画家往往将诗、书、画融为一体，追求的是文人墨趣、诗书雅逸的审美理想。陈淳作为吴门画派的代表人物，自然也不例外。他以草书入画，并且逐渐摆脱了造型的束缚，而是以情写意，尤其重视笔墨挥洒。故清代方薰在《山静居画论》中评价云：『天池天赋卓绝，书画品皆特高，狂獝处非其本色，陈道复于时自出机轴。』方薰又云：『白阳笔致超逸，虽以石田为师法，而能自成其妙。青藤笔力有余，刻意入古，未免有放纵处。』因此，在绘画史上一直将陈淳、徐渭并称『白阳青藤』，或源自方薰此论。

纵观陈淳的绘画风格，早期花鸟画受文徵明影响，后师法沈周，中年以后用淡设色或水墨作写意花卉，将笔墨从造型中释放出来，自成一家，画风疏爽秀逸，不带半点尘俗。陈淳推动明代花鸟画朝写意的方向发展，为明后期以徐渭为代表的大写意花卉的出现奠定了基础。王世贞在《弇州山人续稿》云：『胜国（元朝）以来，写花卉者无如吾吴郡，而吴郡自沈启南（沈周）后，无如陈道复（陈淳）、陆叔平（陆治）。』其山水画则是在文徵明的基础上，上溯二米、高克恭等人，兼取众长，自成一家。明代姜绍书《无声诗史》记载：『（陈淳）少年作画，以元人为法，中岁斟酌大小米、高房山间，淡墨淋漓，极高远之致。』无论是其『漫兴』式的创作态度、不拘于形的写生理念，还是书画交融的审美意趣，无一不影响着之后的徐渭、八大山人、扬州八怪、吴昌硕、齐白石等人，并使之成为明代画坛乃至整个画史中承上启下的人物。

陈淳 洛阳春色图

陈淳（一四八四—一五四四），字道复，又字道甫，号白阳、白阳山人，苏州府长洲县（今江苏省苏州市）人，活跃于明成化至嘉靖年间，能诗文，善书法，精绘画。有关他的生卒年，学界有多种说法，其中比较可信的当是《陈白阳集》附录张寰所撰《白阳先生墓志铭》：『久之，怀乂兴山水幽奇，冬日往游，感疾不治，卒于家，嘉靖二十三年十月二十一日也。距其生成化二十年六月二十八日，春秋六十有二……以二十六年三月十二日葬白阳山墓次。』据文中所记，陈淳生于成化二十年（一四八四），卒于嘉靖二十三年（一五四四），据此推断，其享年六十一岁，而非六十二。

陈淳出生于苏州的士大夫家庭。其祖父名璚，曾官至三品，任南京督察院左副都御史，家富收藏，并与当时同乡的吴宽、王鏊，以及吴门画派的领袖人物沈周皆有往来。其父陈钥更是与文徵明交往密切，陈淳少年时便遵听父命，从文徵明习举子业，在诗文、书画等方面亦得到他的指授。他在青年时期与文徵明及其家族成员和门生交往甚密，其《合欢葵图》卷（故宫博物院藏）后王守、文徵明、王宠、王穀祥、周天球、文嘉等二十五家名流题诗可侧面证明这一点。可以说，文徵明对陈淳早年绘画风格的形成有重要的指引作用。从现存陈淳最早的纪年作品——上海博物馆藏《水仙图》扇页和台北故宫博物院藏《湖石花卉图》扇页中，可以明显看到文徵明的影子。然而，一场家庭变故却改变了陈淳的人生轨迹。正德十一年（一五一六），陈淳的父亲陈钥去世，陈淳由于悲痛过度，情绪消沉，不问世事，沉浸于诗酒书画之中，时常与山僧、道人、文士词客往来，过上了与世无争的日子：『日惟焚香隐几，读书玩古，高人胜士，游与笔研，从容文酒而已。』他的诗歌中也谈及此种心情：『平生自有山林寄，富贵功名非我事。竹杖与芒鞋，随吾处处埋。』此时，陈淳的绘画风格已逐渐脱离文徵明的束缚，而是受沈周淡设色写意花鸟的影响更多。此时，绘画成为陈淳表达生活态度的语言形式，他放逸不羁的性格和淡泊的人生态度在其绘画风格中纤毫毕现，画风趋于飘逸疏放，以致文徵明感叹道：『吾道复举业师耳，渠书、画自有门径，非吾徒也。』到了晚年，陈淳笔墨运用更加纯熟自如、酣畅放逸，而且不论在诗书画的结合上，还是在笔墨和绘画题材的开拓上，都达到了其艺术造诣的巅峰。

《洛阳春色图》，纸本设色，纵二九·五厘米，横一二八·五厘米，现藏故宫博物院。

前引首有陈淳自题『洛阳春色』篆书四大字，本幅自识『道复』二字。无年款。有乾隆、宣统诸收藏印，曾入《石渠宝笈》。

技法 挥洒自如的设色牡丹

欧阳修《洛阳牡丹图》：『洛阳地脉花最宜，牡丹尤为天下奇。』本件作品名为《洛阳春色图》，描绘的对象自然就是牡丹。画中绘设色牡丹，线条间可见陈淳挥洒纵横之态，颇能体现出其水墨功力。

技法 牡丹画法

画中绘数株盛开的牡丹，攒三聚五，错落有致，雍容华贵，典雅飘逸。所绘牡丹花瓣以没骨法为主，结合点簇的写意手法，书写意味较浓。其笔法连贯，一笔呵成，花瓣的颜色浓淡变化仅仅依靠画笔中颜料和水分控制，如同书法用墨的干湿浓淡变化，表现出牡丹花瓣的层次与结构。花朵中央以藤黄点花蕊，凸显灵动自然之趣。牡丹花叶以正面平展开来，花叶只有阳面，无阴阳向背之分，均以花青色晕染，叶筋则以淡墨勾勒，疏放自然。陈道复以其用笔和用墨的灵活性，以及对力量和节奏的掌握，使叶子与花产生了不同的形态和质感。湖石以枯笔正侧锋简单勾勒外形，自成结构，随之以枯笔皴擦、湿笔晕染的方式表现湖石凹凸之处，最后以浓墨点染湖石上的苔点。湖石与牡丹相得益彰，在水墨的晕染变化中，可感受到陈淳水墨笔法的精熟。正如明末大鉴赏家李日华曾评价的：『破一滴墨水，作种种妖妍。改旦暮之观，备四时之气。』

陈淳《牡丹图》，故宫博物院藏

延展 陈淳常绘题材牡丹

牡丹是陈淳写意花鸟画中的常见题材，传世作品有故宫博物院藏《牡丹图》、《天香图》扇页、《牡丹花卉图》轴、《墨花十二种图》卷以及上海博物馆藏《玉楼春色图》卷等。

陈淳《玉堂高贵图》，朵云轩藏

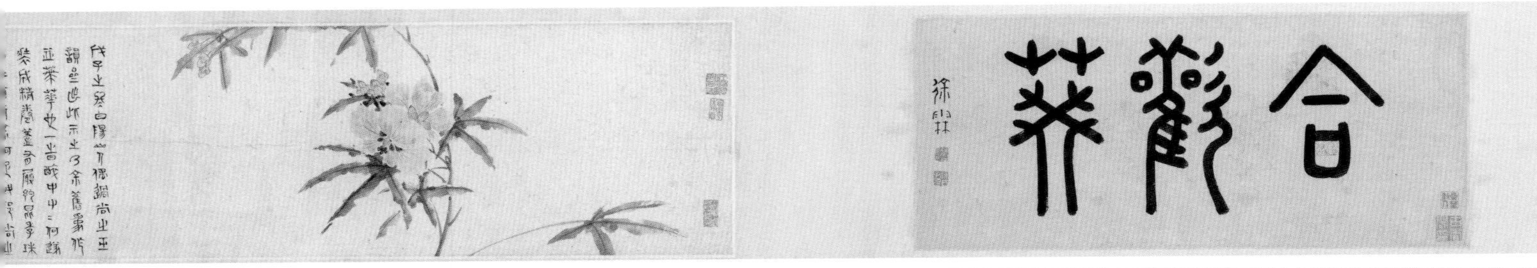

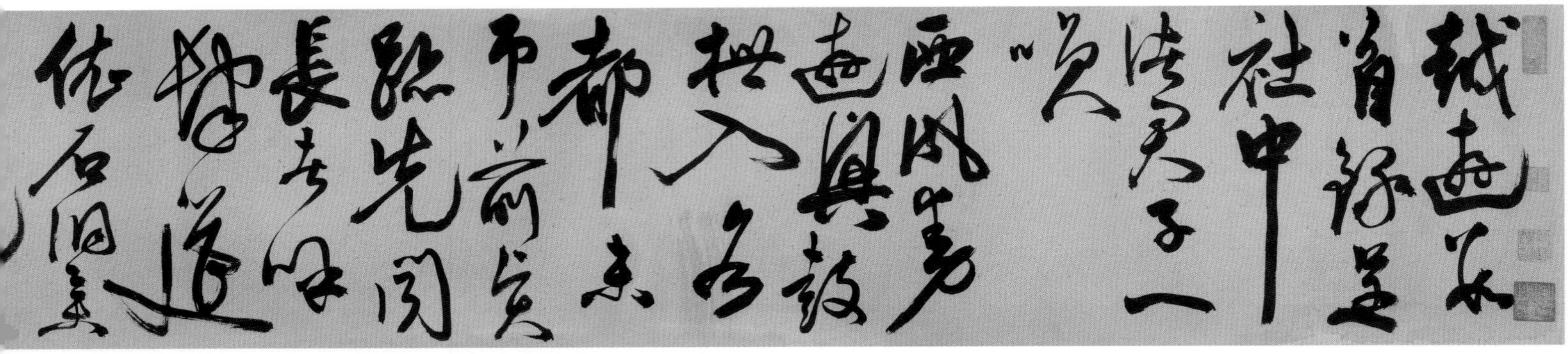

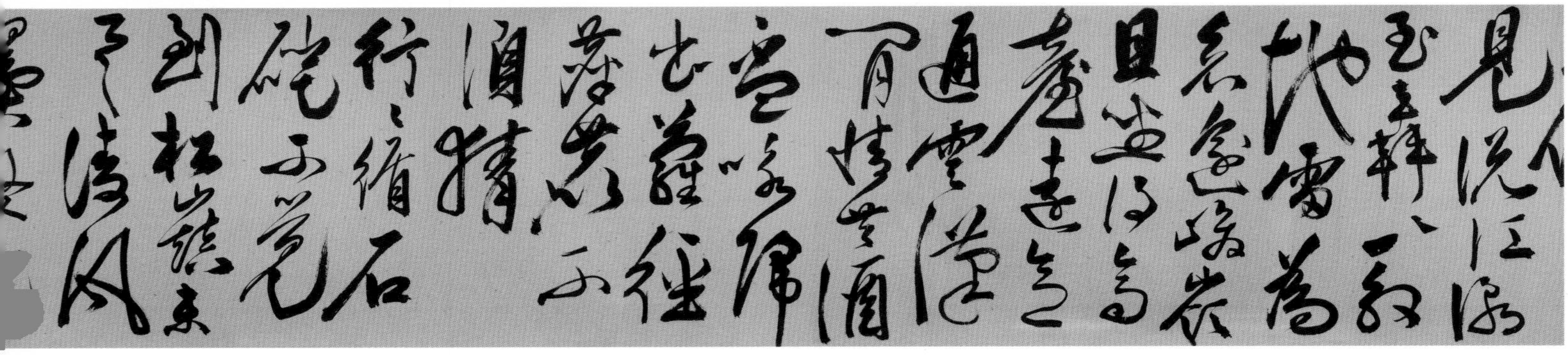

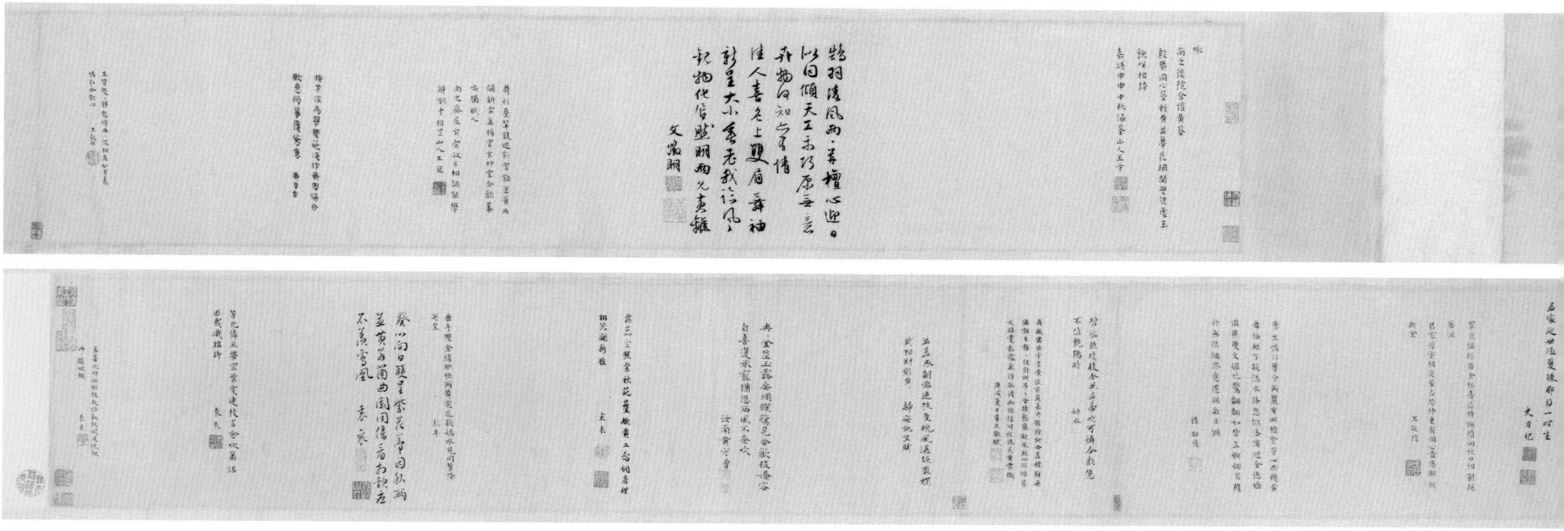

陈淳《合欢葵图》，故宫博物院藏

延展 陈淳的书法

陈淳的书法以草书成就最高，后世将他和文徵明、祝允明、王宠并称为『吴中四大书家』。陈淳的写意花鸟画吸取了草书笔墨淋漓、纵情挥毫的笔墨精神，塑造描绘对象常运用草书线条，中锋和侧锋的变化。徐渭题陈淳画云：『陈道复花卉豪一世，草书飞动似之。』文人画讲求诗、书、画一体，陈淳在诗文书法上的造诣成为其写意花卉的重要组成部分，使其作品具有较高的文人品格。

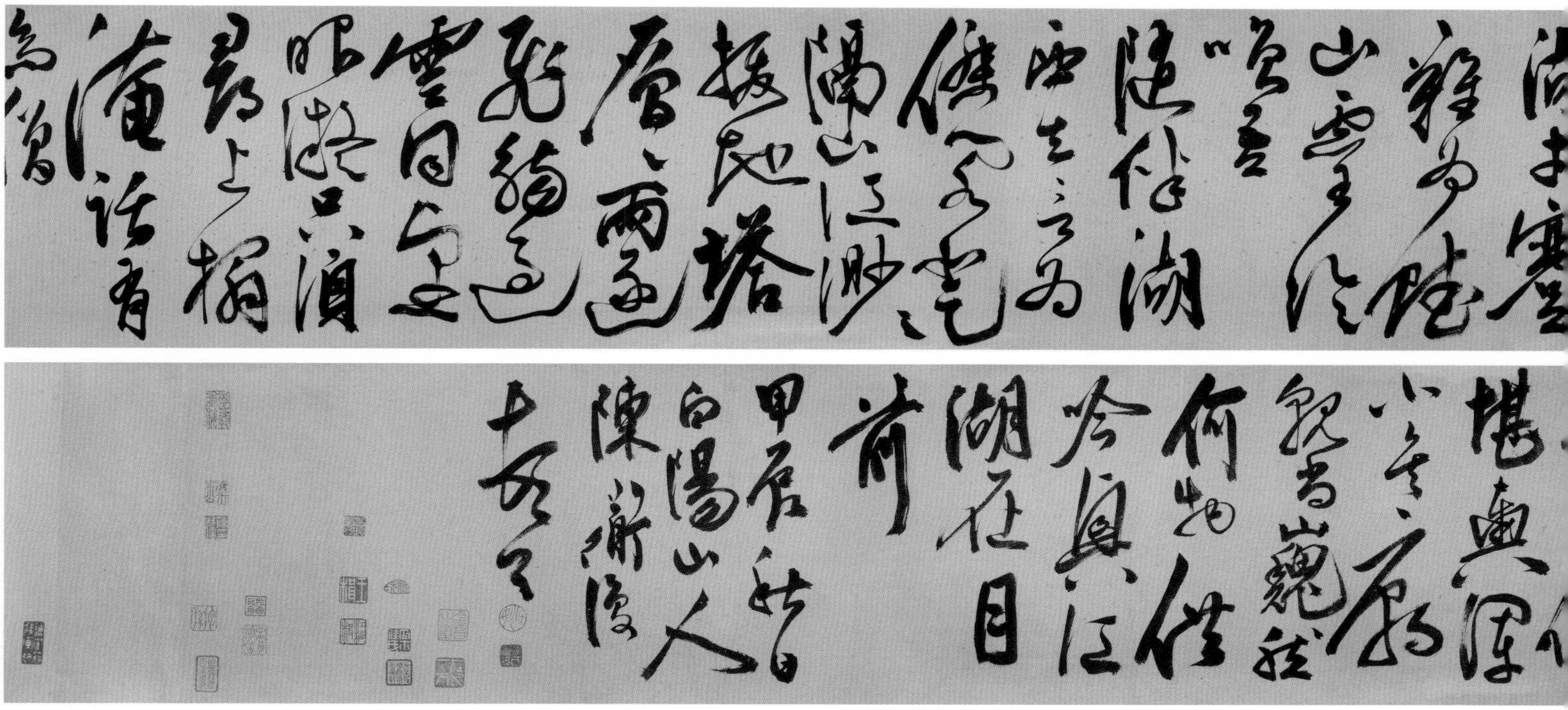

陈淳《越游诗卷》，辽宁省博物馆藏

陈淳《合欢葵图》（局部）

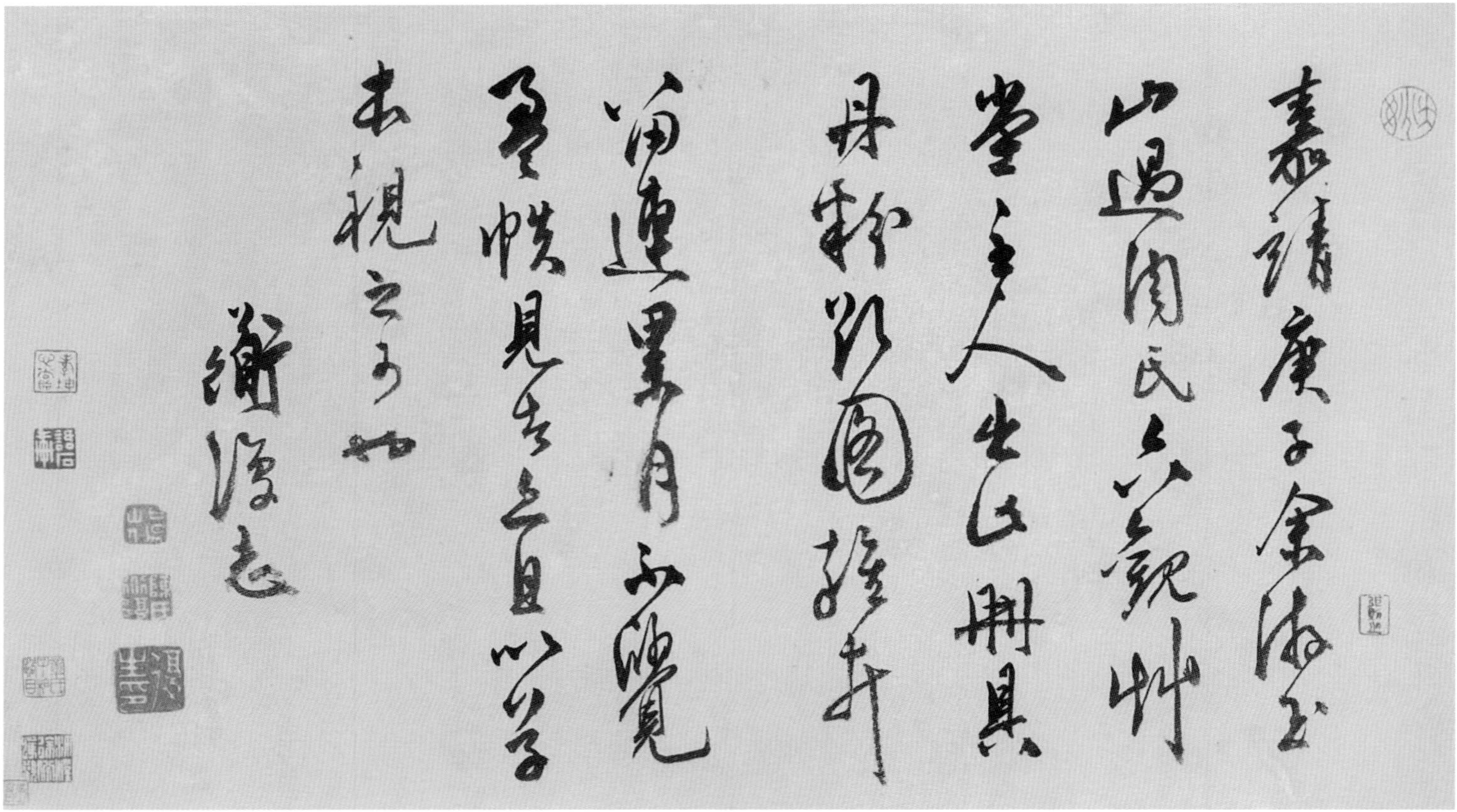

延展 文彭、王穉登等人跋陈淳《花卉图》

此套《花卉图》册，藏于美国大都会艺术博物馆。纸本设色，共十六开，每开纵三二·五厘米，横五七·三厘米。陈淳自题：『嘉靖庚子，余游玉山，过周氏六观草堂。主人出此册，具丹粉，欲图杂卉。留连累月，不觉盈帙，见者亦且以草本视之可也。道复志。』嘉靖庚子为嘉靖十九年（一五四〇），陈淳时年五十八岁，该作为其晚年画风成熟的作品。

文彭题云：『赵昌王友已无伦，更学徐熙更逼真。意到不论颜色似，笔端原有四时春。阅白阳杂花漫题。文彭。』王穉登在跋文中道出了陈淳『约略点染，天真烂如』的花鸟写生的特点：『写生贵在约略点染，天真烂如。不当以分葩计蕊为似、重丹叠翠为工。观此册陈道复先生所作，粉墨萧闲，意象自足，所谓千金骏骨，识者求之牝牡骊黄之外可也。金昌王穉登书。』金农长跋也提到陈淳不求精准的造型结构、率意书写的独特风格：『行笔绝无时蹊，设色亦未敷采炫目，盖画以意似而非以形似也。』但是金农跋文中提到『此册九叶，花草凡七，间以山水二帧』，可知此跋并非本册原跋，或是由其他作品移配于此。无独有偶，美国波士顿美术馆藏有相同的一册，但花卉仅十二开，后面同样有三开题跋。在此不探讨真伪问题，仅就绘画风格做一讨论。

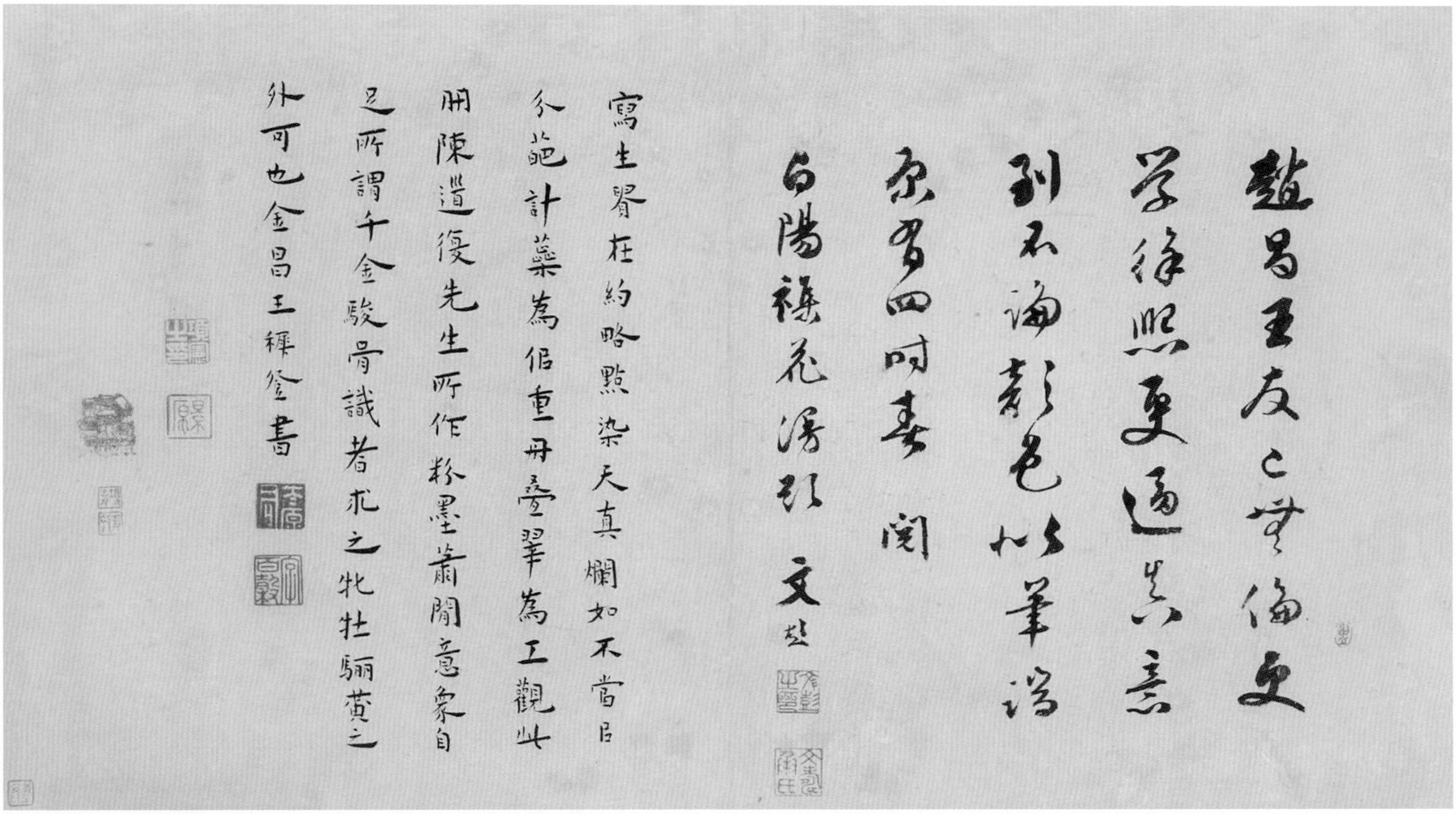
趙昌王友世無倫史
學徐熙更逼真意
到不論彩色似筆諧
家有四時春閒
白陽樣花得卷
文嘉
寫生貴在約略點染天真爛如不當以
分葩計葉為侶重丹疊翠為工觀此
册陳道復先生所作粉墨蕭閒意象自
足所謂千金駿骨識者求之牝牡驪黄之
外可也金昌王穉登書

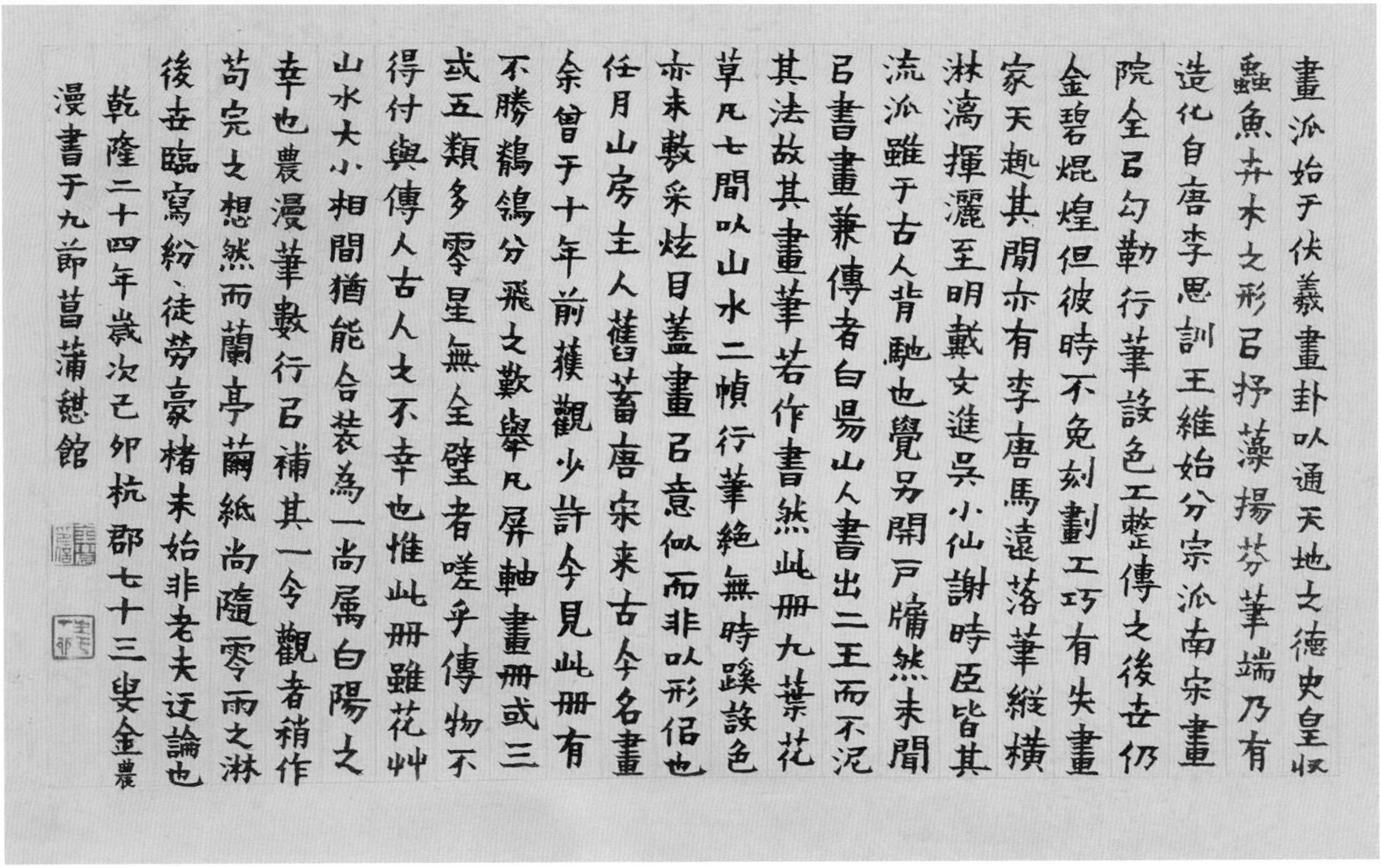
畫派始于伏羲畫卦以通天地之德史皇收
蟲魚卉木之形以抒藻揚芬筆端乃有
造化自唐李思訓王維始分宗派南宗畫
院金以勾勒行筆設色工整傳之後世仍
金碧焜煌但彼時不免刻劃工巧有失畫
家天趣其間亦有李唐馬遠落筆縱横
淋漓揮灑至明戴文進吳小仙謝時臣皆其
流派雖于古人背馳也覺另開戶牖然未聞
以書畫兼傳者白陽山人書出二王而不泥
其法故其畫筆若作書然此册九葉花
草凡七間以山水二幀行筆絶無時蹊設色
亦未數采炫目蓋畫以意似而非以形似也
任月山房主人舊蓄唐宋來古今名畫
余曾于十年前獲觀少許今見此册有
不勝鶺鴒分飛之歎舉凡屏軸畫册或三
或五類多零星無全璧者嗟乎傳物不
得付與傳人古人之不幸也惟此册雖花艸
山水大小相間猶能合裝為一尚屬白陽之
幸也農漫筆數行以補其一令觀者稍作
苟完之想然而蘭亭繭紙尚隨零雨之淋
後世臨寫紛紛徒勞豪楮未始非老夫迂論也
乾隆二十四年歲次己卯杭郡七十三叟金農
漫書于九節菖蒲憩館

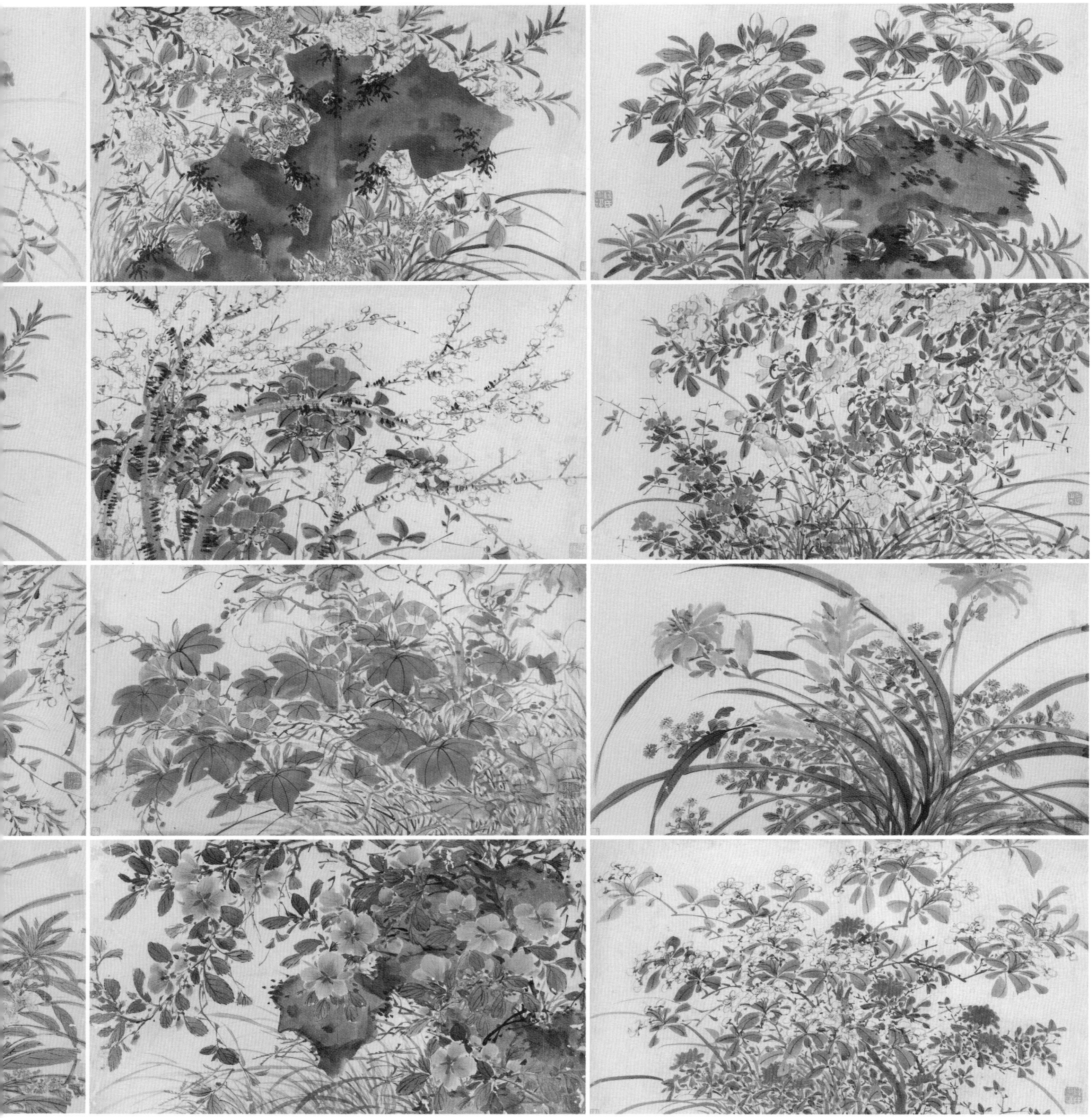

探微 日常所见的花鸟画题材

在此《花卉图》册中，可以看到陈淳在花鸟画选材上受到了沈周的影响。宋、元、明初期的文人花鸟画，大多选取可表现文人旨趣的题材。沈周则拓宽了花鸟画的题材，既有传统院体绘画的常用题材，比如牡丹、百合、海棠等，也有文人绘画的四君子和松石题材，甚至人们日常所见的蔬果、草虫等也皆可入画。陈淳在此册十六开中，绘有牡丹、百合、绣球、夹竹桃、牵牛花、野菊、凤仙花、兰花等多种品类，而且多个品种同时出现在同一开中，与其通常『一花半叶，淡墨欹毫』的构图有所区别。但即使每开多种花卉穿插，即使品类众多，画面也并不显杂乱，而是搭配合理，结构协调，颇显画家构图功力，彰显文人逸趣。

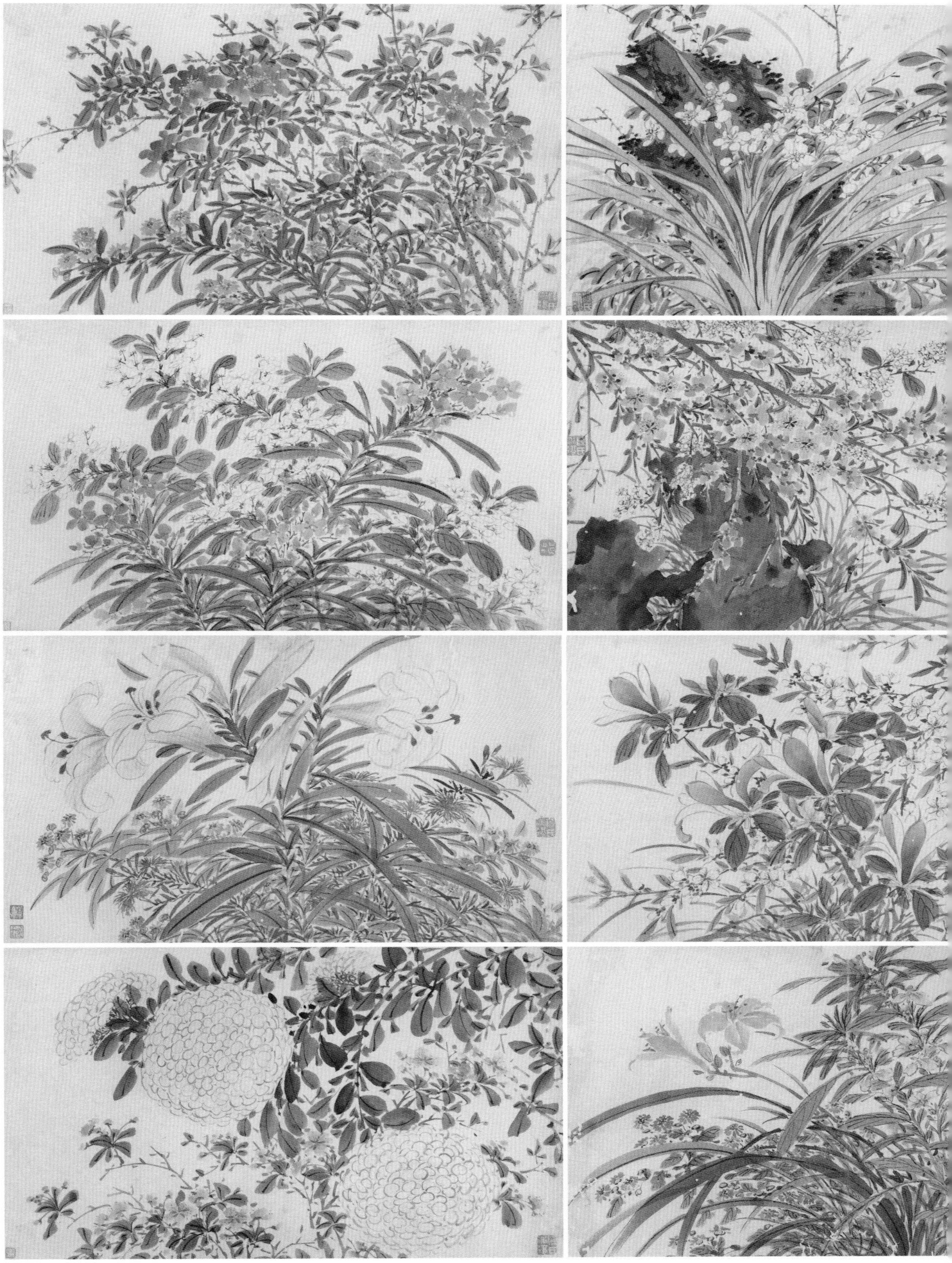

陈淳《葵石图》，故宫博物院藏

《葵石图》，纸本水墨，纵六八·六厘米，横三四·〇厘米。台北故宫博物院藏。

这张画是陈淳水墨花鸟的代表作之一。该幅为水墨写意，无设色，整个画面沉浸在墨色的浓淡干湿变化之中，层次丰富自然。画家在描绘时并不受形似的牵绊，笔触不见半丝的迟疑或停滞，下笔沉着又潇洒，在笔势的徐疾、墨色的浓淡、线条的粗细等方面都能随物象的不同而巧妙变化，令画面极具节奏感。也正因如此，画家才能将注意力倾注于笔墨，达到清人徐沁所谓『淡墨之痕俱化矣』的境界。

本幅右上有两句题诗：『碧叶垂清露，金英侧晓风。』诗、书、画三者的融合是整个吴门画派的创作理念，也是他们共同的审美追求，充满了文人的笔墨情趣。

技法 陈淳水墨花鸟

画面中秋葵一枝斜出，花瓣线条自然流畅，用笔如行云流水，周围有数枝杂草、双勾嫩竹，以飞白湖石作为陪衬，简率纵逸，饶有文人情趣。葵花、湖石和周围杂草枝叶均以简笔勾勒，既工又放，处处体现着书写意味：花瓣勾勒时中锋与侧锋自由转换，在快速的用笔中凸显飞白笔势；几丛葵叶用笔简略迅疾，运用墨色的自然渗透，浓淡轻重即现；杂草虽寥寥几笔却柔中带刚，弹力皆备。正如明王穉登称赞的：『尤妙写生，一花半叶，淡墨欹毫，而疏斜历乱，偏其反而咄咄逼真，倾动群类。』（王穉登《吴郡丹青志》）

沈周《秋葵图》，台北故宫博物院藏

文徵明《秋葵折枝图》，台北故宫博物院藏

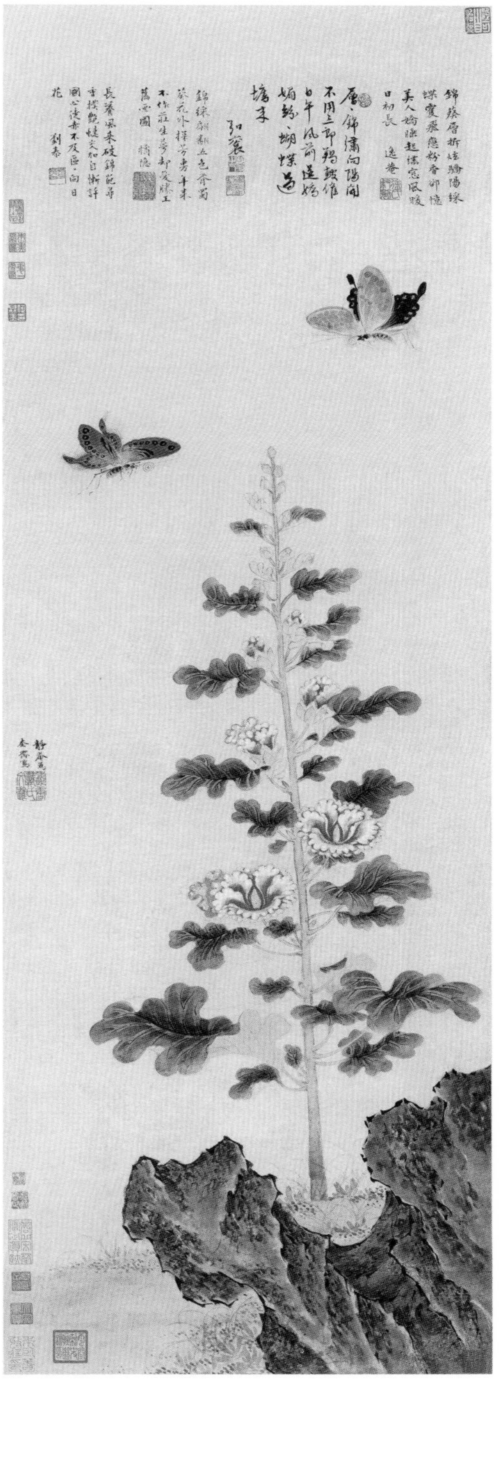

戴进《葵石蛱蝶图》，故宫博物院藏

延展 文人对秋葵题材的钟爱

秋葵、竹石是当时文人常绘的题材，沈周曾以秋葵作诗：『谁道红葩夏日芳，独留黄种吐秋光。五尺竹栏关不住，还将一半露宫妆。』文徵明有《秋葵折枝图》，沈周有《秋葵图》扇页、《蜀葵图》，陈淳以秋葵为题材的作品亦不在少数，可见其对此题材的喜爱。

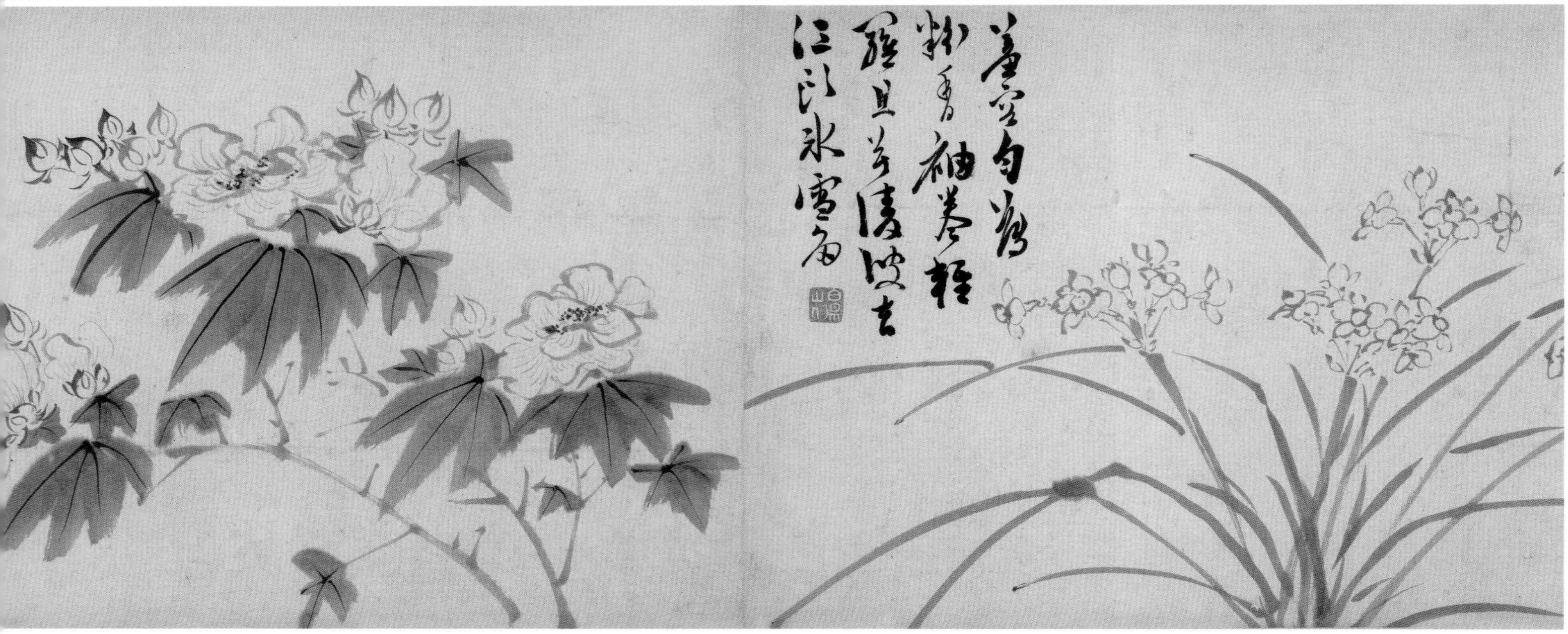

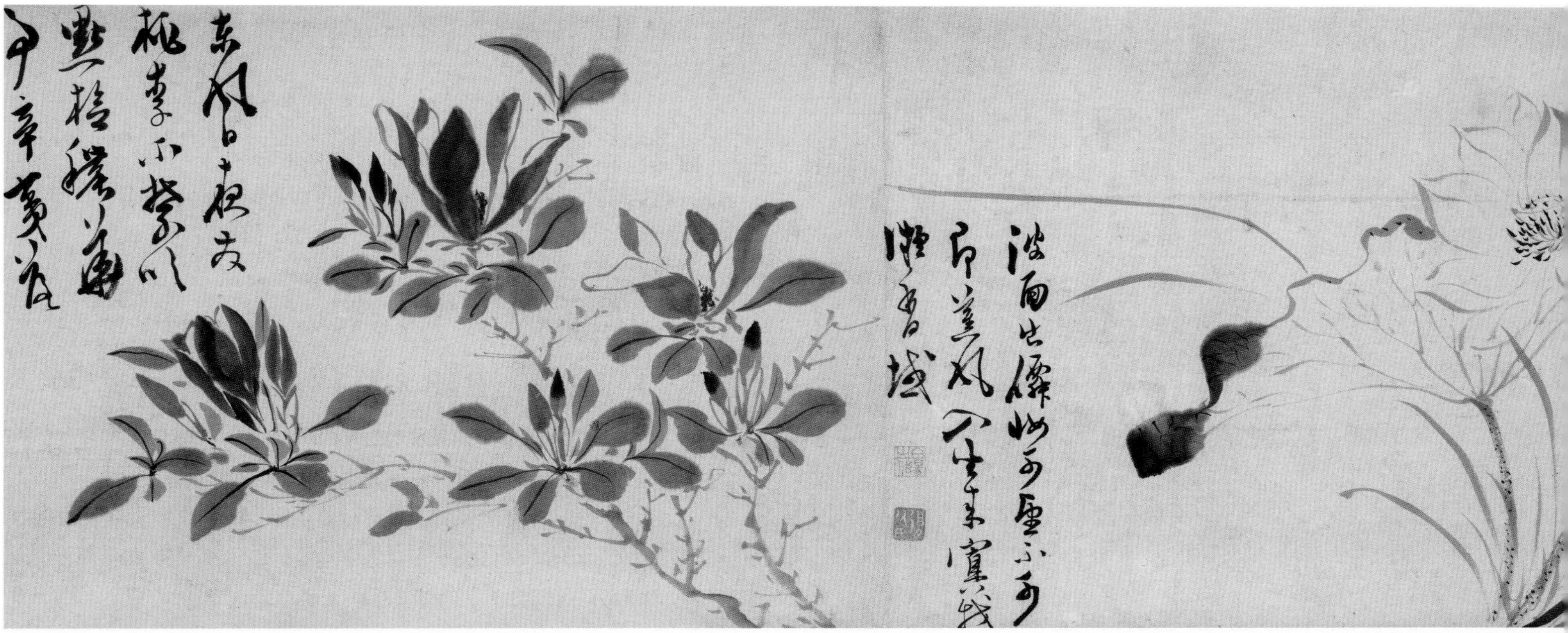

陈淳《墨笔花卉图》，天津博物馆藏

陈淳 墨笔山水图

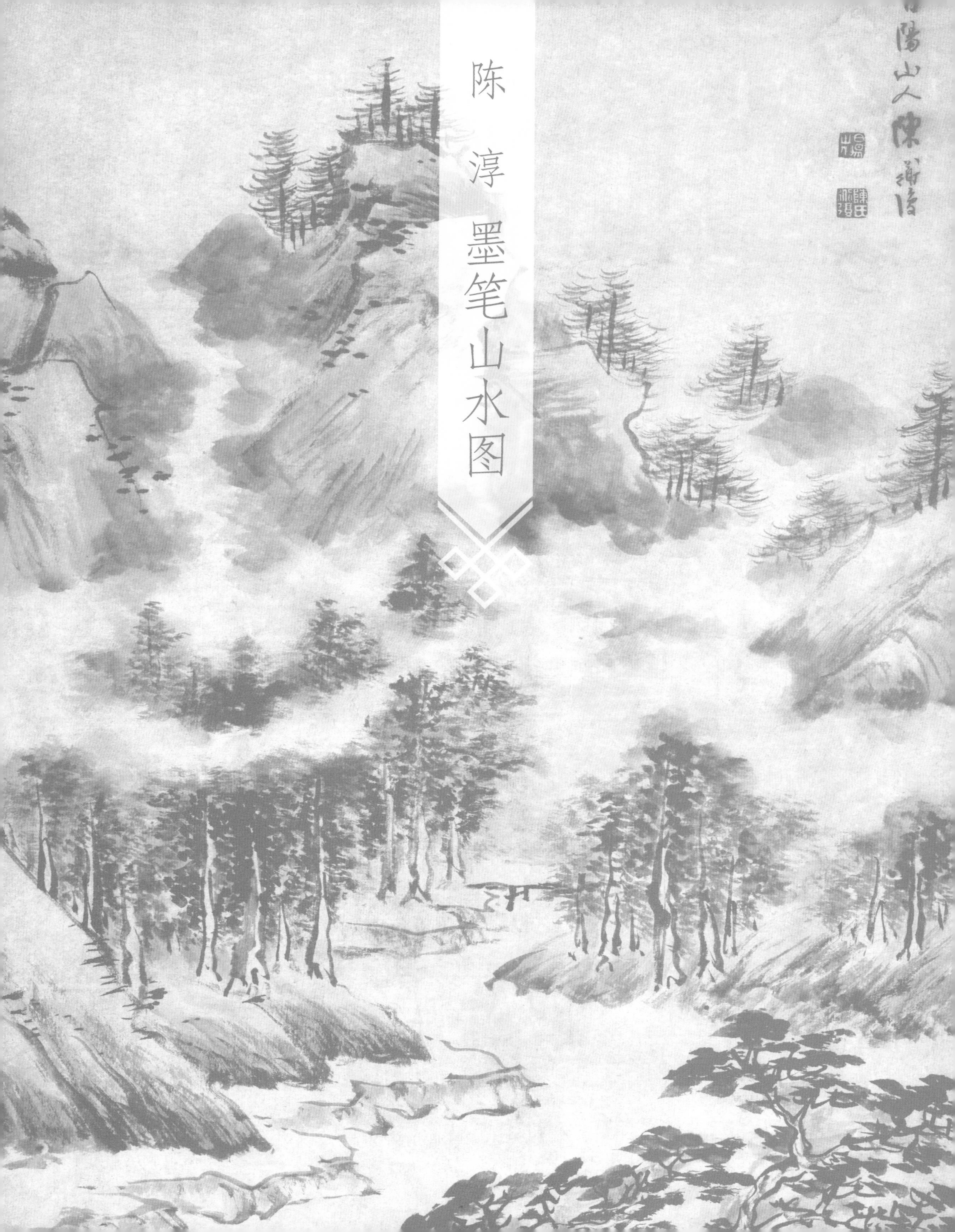

『白阳山人』印

『陈氏道复』印

《墨笔山水图》，纸本水墨，纵一〇七·八厘米，横六七·八厘米，故宫博物院藏。

本幅款署『嘉靖丁酉春日，白阳山人陈道复』，钤『白阳山人』『陈氏道复』二白文印。嘉靖丁酉为嘉靖十六年（一五三七），陈淳五十四岁。此图为陈淳晚年山水作品。

技法 画法与构图

远景山峦起伏，烟云缭绕，画家以寥寥数笔勾染云雾，弥漫蒸腾；峰峦叠翠，朦胧可见。近景和远景由水面隔开，这是明人卷轴画的典型构图形式，使画作既饱满丰富，又有由近至远的空间感。远景的丛树有多种画法，树干多单笔画成，树叶或是以淡墨横点排列，或是画一横排参差不齐的墨线。墨点的疏密、浓淡相间中形成渲染，使树丛中仿佛饱含水汽，显得生机盎然。山石的画法更为草率简略，与画湖石的方法相类，先简单几笔勾出山石轮廓，再用少许淡墨皴擦晕染出阴影，最后用焦墨点苔。明代画家王穀祥评其山水云：『陈白阳作画，天趣多而境界少，或孤山剩水，或远岫疏林，或云容雨态，点染标致，脱去尘俗，而自出畦径，盖得意忘象者也。』

陈淳《仿小米云山图》，美国弗利尔美术馆藏

米友仁《云山图》，美国克利夫兰美术馆藏

延展 被忽略的陈淳山水画

陈道复以写意花卉闻名于世，其山水画的功力为花鸟之名所掩。陈道复山水早年师文徵明、沈周，遥追元四家。中年以后，他漫兴笔墨，山水多取法于米友仁、高克恭，笔墨之工尤见于所画烟云之中。正如人姜绍书所云：『（陈淳）以元人为法，中岁斟酌大小米、高房山间，淡墨淋漓，极高远之致。』米家山水当时在吴门颇受推崇，沈周和文徵明都有表现米氏云山画风的作品。据说陈淳的祖父陈璚藏有米友仁《云山图》，陈淳可能也受此影响，喜作泼墨云山，得『米家山水』烟云氤氲之妙。虽为仿米，但并非效颦学步，颇具自家风貌，『萧散闲逸之趣，宛然在目』。陈淳尝有诗自比米芾：『兰自来去任西东，书画琴棋满载中。试问如何闲得甚，一身清癖米家风。』其名下山水画作品有故宫博物院藏《仿米山水图》、《云山图》扇页、《墨笔山水图》轴，（传）美国弗利尔美术馆藏《仿小米云山图》，天津博物馆藏《罨画山图》卷等。

陈淳《山水图》，美国大都会艺术博物馆藏

陈淳《画山水册》，台北故宫博物院藏

图书在版编目(CIP)数据

陈淳绘画名品 / 上海书画出版社编. --
上海：上海书画出版社, 2021
（中国绘画名品）
ISBN 978-7-5479-2540-9
Ⅰ. ①陈… Ⅱ. ①上… Ⅲ. ①中国画－作品集－中国
－明代 Ⅳ. ①J222.48
中国版本图书馆CIP数据核字(2021)第027545号

陈淳绘画名品

上海书画出版社 编

责任编辑	黄坤峰
审　读	陈家红
装帧设计	赵　瑾
技术编辑	包赛明
出版发行	上海世纪出版集团 上海书画出版社
地址	上海市延安西路593号 200050
网址	www.ewen.co www.shshuhua.com
E-mail	shcpph@163.com
制版印刷	上海雅昌艺术印刷有限公司
经销	各地新华书店
开本	635×965 1/8
印张	8
版次	2021年3月第1版 2021年3月第1次印刷
印数	0,001-2,300
书号	**ISBN 978-7-5479-2540-9**
定价	**60.00元**

若有印刷、装订质量问题，请与承印厂联系